LE HIGHLANDS SCOZZESI

di Elisabeth Fraser

My heart's in the Highlands, my heart is not here;
My heart's in the Highlands, a-chasing the deer;
A-chasing the wild deer, and following the roe –
My heart's in the Highlands wherever I go.

Robert Burns

Indice

JARROLD

Introduzione

Il territorio scozzese conosciuto come le Highlands offre uno dei più affascinanti paesaggi in Europa. Pur essendo scarsamente popolato per la maggior parte, il territorio occupa quasi due terzi di tutta la Scozia. La formazione geografica della regione risale a 400 milioni di anni fa, quando un movimento nella crosta terrestre produsse una faglia, causando una netta divisione fra le Highlands e le Lowlands scozzesi. L'erosione della roccia da fiumi e ghiacciai contribuì poi a creare l'apparenza selvaggia della zona. Questa divisione ed il tipo di terreno più tardi produsse un modo di vita completamente differente nelle due parti della regione. La faglia delle Highlands attraversa la Scozia diagonalmente: incominciando a Nord delle isole Arran, e poi attraversando il mare a Helensburgh e verso Aberfoyle e a Comrie, Blairgowrie ed Edzell e finendo a Stonehaven. Generalmente la zona al Nord di questa faglia è conosciuta come le Highlands Scozzesi, sebbene alcune aree ad ovest siano in pianura.

La catena più estesa in Gran Bretagna si trova nelle Highlands Scozzesi con 500 cime di circa 900 m d'altezza. La montagna chiamata Ben Nevis nella regione Lochaber è la più alta, a 1.343 m. La zona di montagna si estende ad ovest sebbene il gruppo Grampian e Cairngorm si trovino più al centro ed ad est. Durante l'inverno la maggior parte delle montagne sono ricoperte di neve, che in primavera si scioglie precipitandosi in spumeggianti cascate tra crepacci e burroni e finendo nei fiumi e laghi. La combinazione delle montagne con i laghi dona al paesaggio della catena Highlands uno splendore speciale con sfondo di tramonti magnifici che dominano con tinte d'arancio e rosso il cielo e dando alle vette nevose riflessi di colore rosa.

Le Highlands sono rinomate per i laghi, chiamati lochs, i più lunghi dei quali possono essere visitati in automobile. Il giro del Loch Awe per esempio di 123 km in lunghezza e di 8 km al punto più ampio incomincia e termina a Taynuilt vicino ad Oban ed attraversa stradine poco usate che passano il paesaggio più bello della regione dell'Argyll. Sulle sue rive ci sono molte zone boschive e trentatrè piccole isole circondate da montagne. A volte l'immagine riflessa delle montagne nelle acque immobili del lago è così chiara e limpida che è difficile distinguere la visione riflessa da quella reale! Il lago più profondo è il Loch Morar (di 305 m) circondato da spiaggie bianche nella direzione di Mallaig. Il lago Loch Ness ha una profondità di 210 m sebbene si creda che sia più profondo. È lungo 38 km, e la sua larghezza media è di 1,6 km con un volume d'acqua di 7.504 m³. Questo lago è infatti formidabile giacchè si dice che il Mostro del Loch Ness si nasconda nelle sue acque tenebrose.

Oltre a tutti laghi interni ci sono anche molti laghi marini (fiordi) come il Loch Linnhe sulla linea della falda del Great Glen (formata al medesimo tempo della falda Highlands Boundary) che penetra più degli altri nell'interno.

Anche la fauna si aggiunge allo splendore del paesaggio delle Highlands. Si trovano ancora allo stato selvatico cervi, gatti selvatici, lontre, tassi capre e martore come anche delfini e foche. Nelle parti più remote delle montagne ci sono aquile, poiane, falchi pescatori e, più recentemente, è ritornata l'aquila reale. Per milioni d'anni dopo il periodo glaciale la regione Highland fu ricoperta da un mantello di foreste di alberi

decidui e pini silvestri e tipica della fauna locale c'era la lince, il cinghiale, l'orso, il lupo, la renna e l'alce. Gradualmente, con il passare dei secoli, l'intervento dell'uomo, gli animali da pascolo e gli incendi provocarono la scomparsa della foresta e della sua fauna. Nel 1919 fu fondata la Forestry Commission (Commissione per la Tutela delle Foreste) con il compito di restituire alle Highlands e alle future generazioni le foreste perdute attraverso programmi di rimboschimento di una gran parte del territorio. La renna è stata recentemente rintrodotta con gran successo, ed alcune sono addirittura di razza bianca. In questa zona sono organizzate le visite turistiche.

La costa delle Highlands Scozzesi è estremamente mutevole. Ad esempio nelle Western Isles ci sono delle spiaggie favolose con molte passeggiate lungo le sue sponde remote e dove si possono vedere le foche tuffarsi nelle acque profonde. Con la loro pelle luminosa al sole, si vedono mentre saltano dalle roccie che le mimetizzano si vedono le teste sulla superficie dell'acqua mentre si chiamano si mandano richiami. All'interno della costa occidentale si trovano molti fiordi e scogliere sul mare. La strada può terminare sull'orlo della scogliera per poi scendere in modo drammatico al livello del mare od andare verso l'interno e ritornare verso il mare rivelando sotto un precipizio roccioso immenso o una bellissima baia di sabbia. Ci sono anche coste rocciose come quella di Duncansby Head situata vicino a John o' Groats nella regione Caithness alla parte estrema del nord-est delle Highlands. Si può camminare sulle scogliere e vedere le estremità dentellate del burrone con caverne nascoste e pinnacoli enormi che salgono affilati dal mare; questi si chiamano Stacks. La roccia è ricoperta da uccelli marini che si contendono rumorosamente un posto sulla sporgenza.

Fort William e la Montagna Ben Nevis dal Lago Loch Linnhe

Gli Highlanders, la cui lingua madre è il gaelico, appartenevano in passato ai *clan*; ogni clan (tribù) aveva il proprio capo e territorio. Col passare degli anni molto è cambiato, nonostate ciò l'orgoglio di appartenere al clan e mantenere il nome è ancora molto sentito.

I discendenti scozzesi vengono da tutti gli angoli del mondo per rintracciare i propri antenati, visitando il territorio del proprio clan e scoprendo il paese 'natio' e sebbene tante generazioni si siano succedute da quell'epoca. Un'avvenimento importante nel calendario gaelico per gli Highlanders è il festival chiamato Mod che si svolge ogni anno in parti diverse della Scozia e viene organizzato da An Comunn Gaidhealach. Molte delle canzoni orginali hanno un fascino speciale e particolarmente quando queste vengono eseguite da cantanti gaelici, le cui voci melodiose possiedono una limpidezza e una profondità di singolare bellezza. Prima della ribellione giacobina del 1745 il modo di vita degli Highlanders era molto differente. Il tasso di popolazione era più elevato ed in maggior parte la gente viveva in comunità autosufficienti chiamate *croft*. I *crofters* affittavano dai capi del clan il terreno e vivevano in cottages chiamati Black Houses, il cui nome derivava dall'interno annerito dai fuochi di torba. Queste abitazioni erano costruite con pietra e contenevano una zona per gli animali. I crofters allevavano pecore nelle montagne e brughiere e coltivavano avena e altri raccolti sui pendii terrazzati più bassi, chiamati 'lazy beds', oggi ancora visibili testimoni di un'epoca ormai passata.

Col passare degli anni ci furono cambiamenti di proprietà e di amministrazione terriera. Durante la prima parte del 19esimo secolo, ad esempio, ci fu una richiesta più alta per la lana dall'Inghilterra. I capi dei clan, desiderosi di non lasciarsi sfuggire un'occasione di guadagno, cercarono di sviluppare l'allevamento di pecora. Questo sfortunato periodo della storia si chiama 'Clearances'. Fu un periodo brutto giacchè i proprietari senza scrupolo, nel tentativo di arricchirsi con lo sviluppo della lana e avendo dapprima diviso il territorio tra i crofters, li sfrattarono, ignorando i loro previ diritti di locazione.

Ancora oggi si trovano dei crofters nelle parti più remote ed in particolare nelle isole, dove continuano a filare e tessere, coltivando i propri crofts, ora protetti dalla legge. I crofters

Il tramonto sull'isola di Iona

hanno inoltre il diritto di usare la torba per il riscaldamento delle case; sulle strade, infatti si vedono mucchi di torba lasciati and essicàre. L'odore della torba che brucia è un aspetto unico dalle Highlands.

La costruzione di ponti stradali sui fiumi, Forth, Tay e Friarton negli anni '60 ha reso più agevole l'accesso nella zona. I ponti di Ballachulish, Kessock, Kylesku e Dornoch con molte altre stade rialzate hanno aperto la zona. Un'altro ponte è ora progettato tra il Loch Alsh e l'isola Skye.

Questa è una situazione completament diversa da quando nel 1724, il generale Wade venne da Londra per sviluppare le comunicazioni con le Highlands allo scopo di evitare altre insurrezioni contro la monarchia Hanoveriana. A quel tempo esistevano nelle Highlands soltanto sentieri e mulattiere: queste ultime venivano usate per trasportare il bestiame ai mercati. Il generale Wade si trovò di fronte a un compito eccezionale che iniziò nel 1724 con la ricostruzione di Fort William, seguito poi dalla costruzione di Fort Augustus e di Fort George. Quest'ultimo, l'unico rimasto, è veramente magnifico. Si costruirono strade e ponti. Quando il generale lasciò la Scozia Thomas

Telford continuò il progetto construendo altre strade e ponti nel 19esimo secolo. Il suo capolavoro principale d'ingegneria è il canale Caledonian che segue la lunghezza della faglia del Great Glen dal nord-este di Inverness a Loch Eil al sud-ovest e vicino a Fort William. La lunghezza totale del canale è più di 96 km. I Loch Lochy, Oich e Ness sono collegati tramite 33 km con canali artificiali e con 29 chiuse. Un tratto con nove chiuse che si trova tra Corpach e Banavie si chiama la scala di Nettuno. Durante i primi anni di vita del canale si permise alle navi provenienti dall'Atlantico di attraversarlo per accorciare il tragitto al mar del Nord, i pescherecci lo fanno ancora oggi. Entrare nel canale dal Loch Linnhe e salpare in yacht in questo bellissimo tratto è una sfida per i navigatori.

Il nome stesso delle Highlands evoca immagini romantiche di montagne con vette ricoperte di neve, di possidenti in kilt (la famosa gonnella scozzese), di castelli baronali, del velloso bestiame tipico delle Highlands e delle sue brughiere ricoperte di erica. È quasi impossibile comunque, trovare tutti gli elementi dello stesso paesaggio in ogni zona. Si spera che questo libro possa dare un'idea di quello che vi si può scoprire.

I riflessi sul Loch Lomond

Il Loch Lomond a Balmatha

Il mattino a Urquhart Bay, Loch Ness

Una tipica poiana delle Highlands

Una renna 'bianca' nella catena Highlands

Una spiaggia isolata e sabbiosa situata a South Harris

La drammatica costa a Duncansby Head, vicino a John o'Groats

La 'casa nera' ad Arnol, Lewis

I crofters a South Uist mentre marchiano le pecore

La più vecchia casa contadina a South Uist, con Lochboisdale sullo sfondo

Nel 19esimo secolo il ponte ferroviario sul fiume Forth aprì la strada alle Highlands

Il ponte di Kessock, che collega Inverness alla Black Isle

La semplice struttura del ponte di Kylesku, presso Kylestrome, si armonizza con il paesaggio

*Il Ponte Tay a Dundee, uno dei punti
d'entrata alle Highlands*

Una vista aerea del Fort George, presso Nairn

Uno zampognaro al castello Blair, Blair Atholl

Le montagne Grampian e Cairngorm

La catena delle montagne Grampian incontra il gruppo Cairngorm vicino ad Aviemore. Questa è un'ampia zona di montagna spesso dall'aspetto selvaggio e solitario, ma che è, al contrario, pieno di vita. È una delle poche zone rimaste dove si può ritrovare superstite la foresta di pini caledoniani. Nel 1954 259 km² del territorio Higher Cairngorm passarono alla tenuta Rothiemurchus, appartenente alla famiglia Grant, e furono poi trasferiti alla sovrintendenza del National Nature Reserve (Parco Nazionale).

Ci sono centri invernali che attraggono molti sciatori ed in particolare quando le condizioni di neve sono buone. La zona più estesa si trova ad Aviemore sulla parte nord delle montagne Cairngorm. La stagione sciistica dura da dicembre fino a maggio ma gli impianti di risalita situati al Second Stage Cairngorm Chair Lift che sale a 1.100 m sopra il livello del mare sono aperti tutto l'anno. Il Centro Sci di Lecht si trova sulla strada di Tomintoul da Braemar, mentre il Centro Glenshee si trova in cima al passo Cairnwell nelle montagne Grampian. La strada che partiva da Blairgowrie ai Grampians era molto pericolosa e specialmente al punto del Devil's Elbow (il gomito del diavolo) chiamato così per la strettissima curva che era molto ripida e pericolosa; recentemente questa strada è stata migliorata per agevolare la salita verso la cima del Cairnwell. Dalla cima la strada continua per Braemar, famosa per la manifestazione sportiva delle Highlands che si svolge ogni anno con la partecipazione della famiglia reale.

Il castello di Balmoral a Crathie nelle Highlands è una delle dimore della famiglia reale. Fu acquistata dal principe consorte della Regina Vittoria durante una visita in Scozia nei 1852 per sua moglie, la Regina Vittoria, che si era innamorata della bellezza dei dintorni. Il tratto da Baemar ad Aberdeen da quel giorno infatti si chiamò 'Royal Deeside'. Durante certi periodi il castello di Balmoral è aperto al pubblico, e naturalmente quando la famiglia reale non è in vacanza.

Nella zona sono aperti al pubblico anche altri castelli interessanti, molti dei quali sono sotto la tutela del National Trust for Scotland, come ad esempio il castello Craigievar a 41 km ad ovest di Aberdeen, castello Crathes e castello Drum vicino a Banchory. Il castello di Braemar, ad un tempo il seggio del Earl di Mar e più tardi le caserme governative, appartiene ora alla famiglia Farquhasons di Invercauld; si raccomanda una visita a questo castello. La chiesa di Crathie, dove si reca la famiglia reale, quando soggiorna al castello di Balmoral è aperta al pubblico.

La strada verso Tomintoul, che è il paese più alto della zona, è uno dei posti più montagnosi e selvaggi della regione scozzese. Durante l'inverno questa strada è spesso invalicabile per la caduta neve ma viene riaperta per accogliere gli sciatori che arrivano al Centro Sci di Lecht. In agosto mentre l'erica è in piena fioritura, il color viola che continua per tutta la zona domina il paesaggio col suo splendore, armonizzandosi con il grigio delle roccie.

Tomintoul fa parte del Whisky Trail (sentiero del whisky) e negli ultimi anni è diventato una meta turistica favorita nella zona di Speyside. Molte distillerie sono aperte al pubblico, e quasi tutte offrono un 'wee dram' (un sorso di whisky) dopo la spiegazione sulla produzione del prodotto. Grantown-on-Spey vicino a Tomintoul, è un posto prediletto per coloro che amano la pesca e l'alpinismo.

Ad est dei Grampians si trova la città di Aberdeen, 'la città di granito' del nord, con l'architettura e gli edifici storici più belli delle Highlands. Aberdeen si è sviluppata considerevolmente grazie al boom petrolifero, sebbene la pesca sia sempre stata un'industria predominante. Il turismo pure si è molto sviluppato recentemente. Oltre a essere il collegamento diretto della Linea P&O alle Isole Shetland e Fair Isle, Aberdeen è la capitale per il Whisky Trail, il Royal Deeside ed il Castle Trail. (Ci sono più castelli nei dintorni di Aberdeen che nel resto delle Highlands e molti sono aperti al pubblico.)

A Banchory, a sud-ovest di Aberdeen, la strada B974 attraversa montagne e brughiere che in agosto sono ricoperte con il viola dell'erica. La strada passa Fettercairn a Edzell dove si trova una stradina che conduce a Kirriemuir e dove naque James Barrie autore del libro *Peter Pan*. A circa 4 km più a sud si trova castello Glamis (aperto al pubblico) ed ove la Regina Madre passò la gran parte della sua infanzia.

Il Devil's Elbow situato sulla strada che va da Glen Shee a Braemar prima che la strada fosse migliorata

Alcuni sciatori sulle montagne Cairngorm

Il fiume Dee, ricco di salmone, presso il castello di Balmoral

*Il Castello di Craigievar, vicino ad Alford,
con le torrette da fiaba*

*Una vista autunnale del Castello di Balmoral la residenza della Famiglia Reale
nelle Highlands*

*Il Castello Crathes visto dai
bellissimi giardini*

La chiesa a Craithie, ove la Famiglia Reale si reca durante le vacanze al Castello Balmoral

L'elegante facciata del castello di Braemar

Un tipico paesaggio in agosto – un tappeto di erica viola circondato dalle montagne brumose

La distilleria di Dallas Dhu presso Forres, un esempio dell'antica tradizione artigianale della produzione del whisky, è aperta al pubblico

Ad Aberdeen la strada Union Street mantiene ancora il carattere originale della città

Le rovine del castello di Edzel sono considerate monumento nazionale

La Regina Madre passò la maggior parte della sua infanzia al castello Glamis

Il lago Loch Lomond e la catena dei Trossachs

Con la pubblicazione dei libri *Lady of the Lake* (La donna del lago) e *Rob Roy* nel 1810 e 1818 lo scrittore Sir Walter Scott è, da quel tempo, senza dubbio responsabile per la popolarità delle montagne Trossachs. Comunque da quando lui scrisse questi libri questa area è notevolmente cambiata. La Forestry Commission attualmente è il più grande proprietario di terreno nei Trossachs. La zona è tutelata dalla tenuta Queen Elizabeth Forest Park che raggiunge Rowardennan ad est del Loch Lomond e che include i seguenti laghi, Loch Ard, Loch Achray e Strathyre ad ovest del Loch Lubnaig. Recentemente la Forestry Commission ha esteso il territorio del parco.

Nel corso degli anni la Forestry Commission ha intrapreso due importanti progetti ambientali: il primo mira alla protezione di tutta la fauna della zona, attraverso il monitoraggio e la diffusione di informazioni, mentre il secondo è progetto ricreativo per la cura di sentieri designati, zone di campeggio e picnic appartenenti alla Commission. Le principali preoccupazioni sono gli incendi e l'erosione dei sentieri marcati. Questi progetti sono aggiornati costantemente per assicurare la massima protezione dell'ambiente e per assicurare un maggiore piacere al numero sempre crescente di visitatori che ricercano la solitudine e la pace offerte da queste meravigliose foreste e montagne. Per il trekking più impegnativo ci sono quattro percorsi designati che si chiamano Bens: Ben Venue, Ben Ledi, Ben An e Ben Lomond – tutti e quattro offrono a chi le scala il piacere di una vista superba dalle cime. Per queste passeggiate impegnative e particolarmente per la salita del Ben Lomond si suggerisce d'incamminarsi di buon'ora. Invece per le passeggiate più facili, i boschi ricchi di flora e fauna offrono un varietà di uccelli ed ogni tanto, si possono intravedere i cervi.

Il centro turistico Queen Elizabeth Park è situato nei pressi di Aberfoyle, che può essere raggiunto dalla strada che conduce al passo del Duca (Duke's Pass) da Callander. Nel 1960 la Forestry Commission ricevette dal Carnegie Trust un centro turistico che a quel tempo si chiamava David Marshal Lodge in onore del presidente del 'Trust'. Andrew Carnegie, nato a Dumfermline ed emigrato in America dove diventò un magnate nella industria d'acciaio, non dimenticando mai le sue radici e fondò il Carnegie Trust per opere di beneficenza.

Circa 12.000 ettari del territorio che comprende i Trossach e i Loch Arklet e Loch Katrine presso Stronachlachar , dove si trova un Centro di accoglienza per visitatori e una sala da tè, sono di proprietà dello Strathclyde Regional Council Water Department. Appunto in questa parte del lago l'ente idrico gestisce un traghetto il *Sir Walter Scott*, che offre mini crociere sino a Stronachlachar. Il *Sir Walter Scott* è un ottimo esempio di imbarcazione a vapore ecologica, in quanto usa solo carbone non inquinante e non ha quindi alcun effetto deleterio sulle acque del lago.

Nel 1855 un decreto parlamentare designò il Loch Katrine come riserva d'acqua potabile per la città di Glasgow. Si costruì una diga per aumentare il livello dell'acqua e attraverso due successivi Atti del Parlamento il livello originale fu aumentato due volte. È interessante notare che l'acqua scorre sino a Milngavie, vicino a Glasgow, usando esclusivamente la forza di gravità attraverso le tubature.

La città di Glasgow negli anni '40 acquistò dall'Earl di Ancaster la tenuta nei pressi del Loch Katrine, che comprendeva il Brenachoile Lodge, fattorie e cottages. Questo ora viene tutelato dall'ente idrico del Strathclyde Regional

Un panorama del Loch Ard con la montagna Ben Lomond ricoperta di neve

Council che è il più grande allevatore di pecore in Scozia. L'uso dell'automobile è vietato, salvo diritto di accesso; le imbarcazioni sono altresì vietate sul lago, e non ci sono boschi (sebbene ci siano alberi nativi) poiché un grande numero di alberi rischierebbe di alterare l'equilibrio idrico del lago. La pesca è limitata e solo con permesso. La bellezza del Loch Katrine è senza pari ed i trekkers pssono camminare nella tenuta. Questo lago non è lungo quanto il Loch Lomond nè profondo come il Loch Ness, ma esprime a coloro che desiderano essere in sintonia con un ambiente naturale e tranquillo la necessità di rispettarne il paesaggio. La strada principale, la A82, va da Glasgow fino all'ovest del lago ad Ardlui e Crianlarich e Tyndrum. C'è un'altra strada meno frequentata all'est da Drymen fino a Rowardennan. A questo punto il sentiero del West Highland Way prosegue fino alla fine del lago dove si trovano le cascate di Falloch e a Crianlarich, Tyndrum e Fort William, dove finisce. Un'altra strada secondaria panoramica congiunge Aberfoyle a Stronachlachar, proseguendo poi per l'Hotel Inversnaid sul Loch Lomond attraverso un percorso non segnato attraverso boschi, ove le vedute sono magnifiche. Tra Inversnaid e Rowardennan si vede la vetta di Ben Lomond che domina tutta la zona. Ci sono anche molti traghetti da Balloch per il panorama dal Loch Lomond.

Callander è un cittadina storica situata vicino ai Trossachs e alle cascate di Leny. Qui si trova un centro turistico dedicato a Rob Roy e alla catena dei Trossachs, gestito dall'ente turistico di Loch Lomond, Stirling e Trossachs. Il turista può informarsi sulla vita di Rob Roy McGregor, il cui luogo di nascita si trova alla fine del Loch Katrine a Glengyle, e decidere se fosse un eroe o un personaggio malvagio. Da Callander la strada A84 conduce a Lochearnhead, un importante centro per gli sport acquatici e dove incontra la A85 da Crieff, una cittadina rurale con molti luoghi d'interesse, come ad esempio l'industria del vetro e la compagnia originale Portobello Pottery Company e, vicino a Crieff, una interessante distilleria di whisky.

L'A85 continua attraversando Glen Ogle a Killin dove si trovano le cascate di Dochart Falls, che precipitano tra rocce e macigni. Dopo la pioggia e specialmente durante i periodi di neve la vetta di Ben Lawers è una vista indimenticabile e magica. Guardando la cascata dal ponte ed ascoltando il rumore dell'acqua, è facile dimenticarsi del tempo.

Ci sono altre due stradine panoramiche oltre a Killin, la prima conduce a Glen Lochay, e la seconda valica la montagna a Glen Lyon vicino al centro del National Trust, Ben Lawers. La zona di Glen Lyon è una zona di grande bellezza naturale dove si vedono branchi di cervi. La strada ad est da Bridge of Balgie continua attraverso la cittadina di Aberfeldy, passando un ponte a quattro archi costruito dal generale Wade nel 1733. Il sentiero naturale di Birks of Aberfeldy segue il precipizio delle cascate di Moness.

Una passeggiata nel paesaggio attorno al Loch Katrine ed il Ben Venue

Una veduta di Tyndrum e montagne circostanti

Il Loch Lomond da Inversnaid, sulla sponda nord-est

Una veduta autunnale della cittadina di Crieff, sulla strada per le Highlands

*Le bellissime Cascate di
Dochart a Killin*

*Callander con il fiume Teith
in primo piano, ed in fondo
il Ben Ledi*

*Il ponte del Generale Wade
sul fiume Tay ad Aberfeldy*

L'Argyll e le isole

La regione dell'Argyll che si trova nello Strathclyde, è il punto più meridionale delle Highlands e ha forse uno dei paesaggi più spettacolari in Scozia.

L'ambiente naturale del suo territorio assieme alle molte isole lo rendono un posto veramente interessante. Venendo da Crianlarich sulla A82 da Glosgow la strada a Tyndrum si congiunge alla A85 per Oban, mentre la A82 prosegue attraverso Glencoe per Fort William. La A85 passa Glen Lochy sulla strada per Dalmally vicino al castello di Kilchurn, la roccaforte del clan dei Campbells. (Il treno delle West Highland Railway segue anche questo percorso panoramico sino a Oban). Il castello di Kilchurn si trova in posizione strategica sulla piccola penisola a capo del Loch Awe. In tempi antichi esisteva solo una torre costruita nel 15esimo secolo da Sir Colin Campbell di Glen Orchy. Nel 1693 fu ingrandita a castello ed il muro circostante dal primo Earl di Breadalbane, la cui moglie apparteneva al clan dei Campbell. Le loro iniziali si trovano incise all'entrata del castello. Durante la ribellione giacobina del 1745, il castello fu adibito a caserma per le truppe Hanoveriane.

Vicino alle rovine di questo imponente castello si trova il centro turistico Cruachan Dam, con una galleria panoramica entro la montagna che permette ai visitatori l'entrata alla sala turbina ove l'elettricità viene generata dall'acqua che scende dai 364,5 m dal bacino sovrastante. Qui si trova una bella zona per i picnic sulle sponde del Loch Awe e da qui si vedono le belle cascate di Cruachan.

Nel villaggio di Lochawe vicino al molo, nella stagione estiva, il battello *Lady Rowena* offre crociere per le isole del lago Awe. La strada continua al passo di Brander, ove si trova il Ben Cruachan con le due vette di 1.127 m che sovrastano tutta la zona.

Oltre il passo si trova il fiordo del Loch Etive. L'unico mezzo che permette di raggiungere il capo del lago è il traghetto a vapore. Durante il periodo estivo i possibile noleggiare barche. Dall'Ente del Turismo di Oban si ottengono le informazioni richieste. Molto tempo fa il traghetto era l'unico trasporto disponibile per il carbone e altre provvigioni agli abitanti del luogo, i crofters, che convergevano sul molo provenienti dalle loro remote abitazioni per prelevarle.

Dal molo un'altra piccola stradina si arrampica al Glen Etive lungo un tratto di montagna con curve dove incontra la strada principale per Glen Coe. Il remoto Glen Etive ospita l'aquila reale. Questo uccello rapace, che ha una larghezza d'ali tra i 1,9 e 2,4 m, vola maestosamente per le montagne, scendendo vertiginosamente di quando in quando per afferrare una preda. Qui pure si trovano i cervi, che proteggono i loro piccoli in zone inaccessibili nelle montagne sino a quando questi ultimi sono sufficientemente cresciuti per provvedere a sè stessi.

Prima di arrivare alla vivace cittadina di Oban, nella

direzione di Fort William e sopra il ponte di Connell si vedono dei magnifici panorami. A circa 16 km più avanti sulle sponde del Loch Creran si trova il Sea Life Centre, un centro marino e punto ideale per le famiglie che desiderano osservare pesci rari e assistere al pasto delle foche.

La città principale di Oban è l'unico collegamento alle isole per mezzo del traghetto. L'isola più grande si chiama Mull con

Il castello di Kilchurn, a capo del Loch Awe

cui esiste un ottimo servizio frequente ed in particolare durante il periodo estivo ha anche un collegamento diretto con l'isola solitaria di Iona dove San Columba fondò il Cristianesimo nel sesto secolo. Sull'isola di Staffa lì vicino c'è la Fingal's Cave con una profondità di 69 m e 18 m d'altezza. Il compositore Mendelssohn si ispirò a questa grotta nel comporre la suggestiva ouverture *Le Ebridi*. Ma la grotta non è il solo luogo d'interesse: tutta l'isola, con le sue colonne di basalto che scaturiscono dalle acque turbolente, è spettacolare. Durante i mesi estivi due traghetti navigano da Iona alla Staffa e se il tempo lo permette è a volte possibile scendere sulle isole.

Un altro traghetto da Mull a Fishnish attraversa il Sound of Mull a Lochaline a sud di Morven. Da qui l'itinerario verso Fort William attraversa una splendida campagna. Sul litorale c'è un altro traghetto, a Corran col servizio per Loch Linnhe ad Onich dove s'incontra la strada A82 che porta a Fort William da una parte e nell'altra direzione conduce a Glencoe per mezzo del ponte di Ballachulish. Per scoprire l'Argyll in un'altro modo, bisogna prendere un'altro traghetto da Gourock a 32 km da Glasgow a Dunoon, ma ancor meglio, se si ha tempo, col traghetto da Ardrossan nel Ayrshire, navigando sulle bellissime acque del fiume Clyde e scendendo a Rothesay sull'isola di Bute. A nord dell'isola un traghetto passa i Kyles of Bute alla costa. Qui il panorama verso Dunoon è impareggiabile.

Da Lochranza sull'isola di Arran in estate con il traghetto si va a Claonaig sulla Peninsola di Kintyre – un altro modo per entrare nell'Argyll. A sud di Claonaig c'è una magica strada costiera che si dirige verso Campbeltown; per il traghetto alle isole di Islay e Jura è tuttavia necessario andare a West Loch Tarbert o Tarbert.

A nord di Tarbert la strada A83 passa Lochilphead in direzione di Inverary dove ci sono molti luoghi d'interesse oltre al castello di Inverary, la casa del duca di Argyll. Ivi si trova la prigione (jail) con la ricostruzione di come poteva essere al tempo. Il tribunale ha mantenuto lo stesso aspetto e l'effetto di fare un viaggio nel tempo è sottolineato dalla presenza di manichini che rappresentano i giudici. Una stradina vicino ad Inverary attraverso Hell's Glen porta al Centro Europeo della Lana e della Pecora a Lochgoilhead. Il centro offre una interessante dimostrazione dell'allevamento ovino nelle sue uniche varietà. A Oban si trova il *Lord of the Isles*, il nuovo traghetto che fa servizio per le isole più remote, quelle di Col e Tiree e le isole occidentali.

Nella centrale elettrica scozzese – la 'montagna scavata'

L'attività del porto di Oban, uno dei principali capolinea per i traghetti

Gli attraenti edifici colorati lungomare a Tobermory la 'capitale' di Mull

L'abbazia storica di Iona

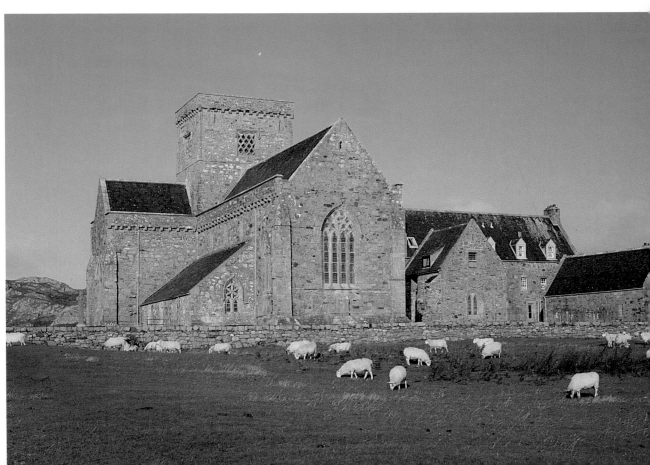

*La grotta di Fingal sull'isola Staffa
che ispirò il compositore Mendelssohn*

*Il castello di Inveraray una delle maggiori at-
trazioni nella parte occidentale della Scozia*

Il traghetto alla bocca del porto Rothesay Harbour sull'Isola Bute

Panorama rurale vicino a Brodick, nell'Arran

Glen Coe
e Fort William

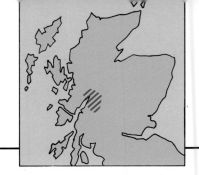

Glen Coe in Argyll è circondato da imponenti catene di montagne e una vasta area di desolata brughiera. La montagna Buachaille Etive, il cui nome significa 'il Gran Pastore di Etive', fa da sentinella all'entrata della vale. Le piste di sci a White Corries, vicino al King's House Hotel sono state recentemente migliorate ed estese. È stata installata una seggiovia più grande e si sono migliorate le attrezzature per un servizio più efficiente sia durante il periodo invernale che quello estivo.

In questa magnifica zona le cime delle montagne sovrastano il paesaggio. Le Tre Sorelle di Glencoe sono a volte nascoste da foschia ma durante i giorni limpidi si delineano molto chiaramente, come pure il ridge di Aonach Eagach, situato vicino al centro scozzese del National Trust. Il Trust tutela più di 7.000 ettari della valle di Glen Coe ed è il punto focale per le informazioni sulla glen e sulla sua storia. Una guardia forestale organizza le passeggiate in montagna, che è un luogo perfetto per la roccia e l'alpinismo. La montagna del Glen Coe è molto pericolosa e deve essere quindi rispettata; il tempo può cambiare rapidamente ed è facile perdersi – infatti ogni anno ci sono molti incidenti. Ci sono molti campeggi, uno dei quali appartiene al Forestry Commission vicino al centro della glen.

La valle di Glen Coe continua fino al Loch Leven che è circondato da montagne. Il villaggio di Glencoe non è cambiato ma il ponte di Ballachulish è relativamente nuovo e sostituisce il traghetto da Loch Leven a Fort William, senza il quale era necessario proseguire attraverso Kinlochleven sino alla testa del loch, che comunque è una deviazione piacevole.

La città attuale di Fort William si sviluppò con l'arrivo del treno nel 19esimo secolo – la fortezza governativa del 1655 orginale e ricostruita dal generale Wade nel 1724 fu demolita nel 1864 per la costruzione della stazione. Un treno speciale a vapore va da Fort William attraversando l'itinerario panoramico sul West Highland Line che finisce a Mallaig, con vari collegamenti ai traghetti per l'isola di Skye. Proprio all'uscita di Fort William si trova una stradina che porta ai piedi della montagna Ben Nevis attraversando Glen Nevis. Un sentiero percorre Rannoch Moor. Ci sono diversi campeggi nella glen per i turisti che vengono a godere questa zona di montagna.

A nord del Fort William sulla strada Spean Bridge si trova la catena Nevis a 1.221 m sul Aonach Mór vicino al Ben Nevis con l'unica seggiovia alpina in Gran Bretagna. È aperta tutto l'anno eccetto a novembre e offre sette seggiovie per coloro che sciano in questa moderna area sciistica, dotata della pista più lunga in Scozia (2 km).

Lo sci non è certamente la sola attività in questa magnifica regione. Passeggiate o trekking impegnativi su sentieri ben marcati per agevolare l'osservazione della flora e fauna, uccelli e foreste, le più alte in Gran Bretagna, sono altre altrazioni. Per proteggere la natura le zone vietate sono visibilmente segnate.

Sulla strada A830 'Road to the Isles' a Corpach presso Fort William si trova il centro dei Tesori della Terra dove i turisti possono vedere miniere e caverne allestite in modo fantasioso con rocce illuminate e foreste vergini per esplorare il mondo preistorico dei dinosauri e dove si trova anche la migliore collezione di cristalli fossili e pietre preziose in Europa.

Al Lochy Bridge nei dintorni di Fort William si trova la distilleria Ben Nevis dove si può scoprire la 'leggenda del Dew di Ben Nevis' al centro turistico. Nel 1825 'Long John' fondò la distilleria MacDonald all'ombra del Ben Nevis dove la sorgente dell'acqua è così pura e rara che la qualità del whisky è sinza pari, spiegando così il suo nome: 'The Legend of the Dew of Ben Nevis'. Il nome gaelico per whisky è *uisge beatha*, che significa 'la sorgente della vita'.

Una passeggiata alla scoperta del panorama del Glen Coe

Buachaille Etive Mor, nel remoto Glen Etive

La foschia mattutina che circonda la montagna Three Sisters of Glencoe (le tre sorelle di Glencoe)

Il Loch Leven a Ballachulish

*Il treno a vapore della fer-
rovia West Highland vicino
al viadotto Glenfinnan*

*Le acque del Ben Nevis che
percorrono Glen Nevis*

Ristorante e stazione sciistica a Nevis Range vicino a Fort William

Il centro Treasures of the Earth (Tesori della terra) a Corpach ha ricevuto il premio per il turismo 'Thistle' dello Scottish Tourist Board per la sua singolare esposizione di gemme e di cristalli

La Distilleria Ben Nevis a Lochy Bridge

Glen Shiel e 'La strada verso le isole'

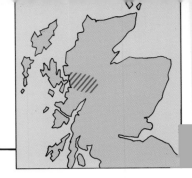

Una delle due strade per l'isola di Skye e le isole occidentali è la A87 che passa Glen Shiel a Kyle of Lochalsh (l'altra è l'A830 da Mallaig a Fort William). Glen Shiel è una valle pittoresca dominata dalle montagne 'Five Sisters' e il Saddle. La sua bellezza è accentuata dai lochs che vengono alimentati dalle cascate. Presso la strada ci sono due lochs: il Loch Cluanie al principio del glen ed il fiordo Loch Duich alla fine, che poi converge con i Loch Long e Alsh, ambedue fiordi.

Nei pressi di Loch Cluanie, che ha una vista panoramica sulla sua diga, c'è una vecchia locanda posta in posizione strategica per alpinisti e viaggiatori. Il Cluanie Inn si raggiunge facilmente giacchè non dista troppo da Inverness, Fort William, Fort Augustus e Drumnadrochit. Dalla locanda si possono vedere al tramonto branchi di cervi mentre pascolano nella valle e bevono dai ruscelli; si vedono solo quando si muovono, giacchè sono ben mimetizzati tra i colori della valle. Il periodo degli amori è im ottobre ed è una grande, indimenticabile emozione ascoltare il grido dei cervi che si sfidano e lottano per la supremazia del branco. A Kyle of Lochalsh, c'è un frequente servizio di traghetto per l'isola di Skye.

Il castello più fotografato in Scozia è senza dubbio Eilean Donan Castle a Dornie. Ad un tempo questo era una fortezza, poi mutata in castello fortificato nel 13esimo secolo. Nel 14esimo secolo cadde nelle mani dell' Earl of Moray, un possidente crudele e spietato. Un sanguinoso episodio conferma la sua barbara tracotanza: per dare una lezione agli abitanti del luogo e rammentare loro la propria potenza fece trucidare 50 abitanti, le cui teste furono poi appese alle mura a marcire come monito a tutti. Ora il castello appartiene al Clan McRae e ospita un monumento agli uomini del clan caduti in guerra.

Il castello, sovrastato dalle montagne di Glen Shiel e Beinn a' Chúirn, è situato all'entrata del Loch Duich. Si arriva attraverso una strada rialzata ed inciso alla porta d'entrata c'è il seguente detto: 'finchè un membro del Clan MacRae vive entro le mura non ci sarà mai uno del Clan Fraser fuori'. Nel 1719 il castello fu quasi completamente distrutto ma nel 1912 iniziò il suo restauro, poi completato nel 1932. Nel 1990 si decise di illuminarlo durante le ore notturne aumentando così il suo fascino romantico. Durante le giornate limpide è bellissimo vederlo riflesso nelle acque del Loch Duich, e specialmente con la foschia sulle cime di montagna quando sembra proprio un castello da fiaba.

Gli appassionati della vela troveranno a Plockton, centro tutelato dal National Trust of Scotland, una splendida baia ben protetta ad ovest presso il fiordo di Loch Carron. Il panorama lungo il suo litorale è spettacolare.

A sud-ovest di Kyle of Lochalsh, sul Sound of Sleat si trova Glenelg un delizioso villaggio nascosto in un'angolo delle Highlands e durante l'estate un piccolo traghetto fa servizio per l'isola di Skye. Dal Sound of Slead due fiordi, i Loch Hourn e Loch Nevis penetrano in un territorio poco noto e ideale per magnifiche passeggiate in luoghi solitari. In estate i due laghi consentono ai velisti piacevoli esplorazioni. A capo del Loch Hourn una piccola strada va a Glen Garry ed incontra la strada principale tra Inverness e Fort William. Il Loch Nevis, il fiordo più profondo d'Europa è ancora più remoto, sebbene si possa raggiungere col traghetto proveniente da Glenelg a Mallaig. Non ci sono strade in questo tratto ad eccezione di una stradina che segue la montagna da Glenelg a Shiel Bridge.

Glen Shiel ed il Saddle

Bernera presso Glenelg, si trova nella pittoresca zona a sud-ovest di Kyle of Lochalsh

La bellezza selvaggia di Loch Cluanie

L'antico castello Eilean Donan presso Dornie,
collegato alla riva da una strada rialzata

Loch Duich, dominato della vette nevose
della montagna Five Sisters of Kintail (le
cinque sorelle di Kintail)

La baia di Plockton, in posizione riparata

Il fiordo Loch Carron circondato da bellissimi panorami costieri

Le acque tranquille di Loch Hourn in estate, un'occasione di avventura per i velisti

Le Highlands
sud-occidentali

Le Highlands sud-occidentali si trovano approssimativamente entre la regione del Loch Alsh e del Wester Ross, una zona remota ed isolata con catene di montagne misteriose, laghi splendidi e valli ampie. All'estremità del Loch Long si trova il sentiero per le cascate di Glomach. Il percorso, lungo e arduo, è di circa 11 km e richiede circa otto ore di cammino. Si sconsiglia di affrontarlo da soli, ma se le condizioni sono buone e se si è dotati di spirito di avventura, gli sforzi sono ampiamente ricompensati. Le cascate sono probabilmente le più spettacolari in Gran Bretagna e sebbene non siano le più alte hanno una precipitazione da 111 m. Il vento porta a volte in distanza il rombo della cascata. Una passeggiata meno lunga, di 8 km, incomincia dal parcheggio di Dorusduain, situato alla scuola estiva per ragazzi a Morvich al National Trust for Scotland, e dura circa cinque ore.

A Torridon il Trust ha una mostra audiovisiva e fotografica sulla fauna ed una guardia forestale è a disposizione per organizzare passeggiate con guida. Il Trust cura 6.500 ettari appartenenti ad una delle più belle tenute nelle Highlands. Una tra tante passeggiate impressionanti è la Torridon Walk. Lo spettacolare percorso, che inizia dalla stazione ferroviaria di Achnashellach e termina a Torrinton, segue fiumi e laghi e si snoda attraverso due montagne imponenti, Beinn Liath Mhór e Maol Chean-dearg alte 900 m. Appartenenti anche al Trust sono le cascate di Balgy Falls alla fine del Loch Damh, vicino al fiordo Upper Loch Torridon. Il Loch Damh è un lungo fiordo isolato, dominato dalla vetta del Ben Shieldaig da una parte e dal Beinn Damh dall'altra.

Il Trust tutela anche un'oasi per gli uccelli a Loch Shieldaig, una riserva di cervi a Loch Carron ed un'altra vicino a Glen Shieldaig. La più grande comunque è la Beinn Eighe National Nature Reserve a Kinlochewe, dove si trovano cervi, aquile reali, gatti selvatici e martore. Questo fu il primo parco nazionale in Gran Bretagna.

Per turisti intrepidi c'è un itinerario nelle Highlands del sud-ovest che sarà particolarmente allettante. Il percorso incomincia dalla A896 presso Kishorn, attraversa il Pass of the Cattle (Bealch nam Bo) su una strada con tornanti e discese improvvise del 25% sino a scendere da un'altezza di 616 m alla cittadina di Applecross tutta isolata e silenziosa con spiagge di sabbia magnifiche.

La strada litorale a nord di Applecross gira, discende e sale lungo un tratto memorabile che conduce a Shieldaig, un villaggio situato ai piedi della montagna e sulla riva del Loch Shieldaig. L'ambiente tranquillo di questa regione offre una unica occasione di distensione lontano dai problemi quotidiani.

Le spettacolari cascate di Glomach a Loch Long

Le acque cristalline del Loch Torridon

Loch Shieldaig, circondato da boschi pittoreschi

Le vette di neve del Beinn Eighe

*La cittadina di Applecross, un tempo
il luogo più inaccessibi della Scozia*

Skye e le isole occidentali

Con le sue montagne misteriose e lunghe penisole fertili, la cosiddetta 'Misty Isle' o isola delle brume rappresenta un modo di vita difficilmente comprensibile a chi proviene da centri industrializzati.

L' industria della pesca e la coltivazione su piccola scala, il *crofting*, sono entrambe le attività economiche essenziali della zona. È pur vero che molti isolani vivono sul turismo e vi si sono adattati bene, ma non c'è segno che le isole ne abbiano sofferto poichè gli isolani, estremamente fieri del loro retaggio, ne hanno particolare cura.

La catena di montagne più importante è la Cuillin Hills chiamata anche Black Cuillins, dove alpinisti provenienti da tutte le parti del mondo vengono ad arrampicarsi sulle sue vette giganti. Questa catena si trova a sud-ovest dell'isola ma domina tutta la zona circostante. Da Elgol e Sligachan Bridge si vede un panorama splendido. Le vette del Red Cuillins di granito rosa avvolte nella foschia dominano la strada che da Portree conduce a Kyleakin.

L'Heritage Centre a Skye, in bella posizione nella foresta di Portree, riunisce sotto lo stresso tetto una originale mostra della storia, della culturale del paesaggio dell'isola, un ristorante e un negozio dove si possono acquistare libri, musica e articoli dell'artigianato locale.

La A855 da Portree offre il panorama dello Storr, una catena di montagne di 16 km con rocce a forme isolite, una delle quali si chiama 'The Old Man of Storr'. Ci sono due cascate: le Lealt Falls and Gorge e le Kilt Rock Falls. Quest'ultima è spettacolare – il Loch Mealt è la sorgente del fiume che scorre sotto il ponte e precipita da una scogliera pericolosa, la Kilt Rock di 51 m nel mare sottostante.

Vicino a Staffin si trova il Quiraing, luogo preferito dall'aquila reale. Le intemperie nei secoli hanno scolpito una facciata di pinnacoli di roccia, con 'terrazze' d'erba e pendii sassosi. La strada per Uig da Staffin è tutta curve e tornanti.

Vicino a Kilmuir c'è una croce che commemora Flora Macdonald, l'eroina giacobina che salvò Bonnie Prince Charlie vestendolo in abiti da donna e accompagnandolo a Skye dalle isole occidentali. Qui si trova il museo della vita isolana a Skye dove si trovano, perfettamente restaurati, alcuni cascinali dai tipici tetti di paglia che bene illustrano l'antico modo di vita isolano.

Per arrivare a Uig da Kilmur è necessario passare un tratto di tornanti ma all'arrivo in cima il panorama è incredibile. A Uig c'è un traghetto della linea Caledonian MacBrayne alle isole occidentali.

A sud di Uig la A856 incontra la A850 lungo la quale si arriva all'antico ed interessante castello di Dunvegan che appartiene al Clan MacCloud del villaggio omonimo. Il Loch Dunvegan è un ritrovo favorito dalle foche grigie, il cui grido si sente dalle sponde. La strada a sud di Dunvegan si collega a Kyleakin presso il ponte Sligachan e dove s'intravedono nuovamente le montagne Cuillin Hills.

Oltre al ponte, nascosto dalla strada a Luib, si trova un'altro museo sui *croft*, e più avanti a Broadford c'è un centro geologico sull'A881 a Elgol. Un castello convertito a museo e dedicato al Clan Donald vicino ad Armadale contiene una raccolta audiovisiva e negozio d'artigianato locale. Il giardino in primavera è ricoperto di fiori selvatici come le campanule e primule, ombreggiate dagli alberi sovrastanti.

Durante il periodo estivo il traghetto di Armadale va dalla penisola di Sleet a Mallaig, un porto di pesca e di turismo. I passeggeri possono prendere la coincidenza per Fort William. Il tratto, che si percorre su un treno a vapore speciale lungo uno splendido scenario, attrae molti viaggiatori. Il percorso può continuare in automobile, attraverso montagne e laghi, raggiungendo poi Glenfinnan, dove c'è un monumento a Bonnie Prince Charlie, tutelato dal National Trust for Scotland.

Le isole occidentali nelle Ebridi Esterne (Outer Hebrides) hanno una bellezza singolare: dalle rimanenze preistoriche che si trovano in tutta l'isola si può dedurre che sono abitate da forse diecimila anni. La loro bellezza risiede nella loro posizione remota, che le rende un luogo ideale per una vacanza lontano dalla frenesia della vita cittadina.

La costa è adornata di magnifiche spiaggie dorate ed un mare azzurro. Aree faunistiche e riserve per gli uccelli sono perfette per gli ornitologi e la flora con offre una piacevole vista. La fauna è abbondante: è possibile incontrare cervi e foche durante lunghe passeggiate o nelle spiaggie, loro ambiente naturale. Ci sono cosi tante isole da scoprire – tutte diverse e tante in luoghi nascosti – che il turista vorrà ritornarci molte volte.

Le isole principali sono Barra e Vatersay, recentemente unite da una strada rialzata; South Uist, Benbecula e North Uist collegate da due strade rialzate ed Harris e Lewis unite da una strada principale proveniente da South Rodel a sud di Harris che va al Butt of Lewis. A Lewis, la più grande tra le isole, si trovano le Callanish Stones, rocce preistoriche che risalgono al 200 A.C.

Il collegamento principale alla costa è col traghetto Caledonian MacBrayne sebbene ci sia anche un buon aeroporto a Benbecula. Durante i mesi estivi questa linea, con un biglietto chimato 'Hopscotch' permette al turista di fare il giro completo delle isole. Ci sono diversi posti di partenza ed itinerari diversi, rendendo il viaggio certamente indimenticabile in ogni caso.

Come già detto, la pesca e il crofting hanno un ruolo molto importante nelle isole, dove ancora si parla il gaelico, e la tessitura resta ancora una fonte di reddito tradizionale. Per mezzo di altri traghetti più piccoli, solo per auto o pedoni il turista può visitare aree che altrimenti non sarebbero mai raggiungibili.

Il tempo è molto variabile ma qualche volta a maggio il sole può riscaldare la sabbia a tal punto da sconsigliare addirittura camminarvi a piedi nudi. Infatti le isole spesso rimangono soleggiate mentre il resto del paese ha brutto tempo. Numerosi buoni alberghi e campeggi per roulotte si trovano in questa zona per chi voglia soggiornarvi.

L'unica grande cittadina nelle isole occidentali è Stornoway sull'isola di Lewis situata vicino al Broad Bay. Una bella passeggiata lungo il fiume incomincia dal castello di Stornoway che domina la città al Gallows Hill (collina della forca) così chiamata perchè ad un tempo erano vi impiccati i criminali.

Il traghetto a vapore lascia Stornoway per Ullapool – il suo arrivo e la sua partenza creano un'interesse insolito fra gli isolani che veramente conducono una vita poco mondana.

Caratteristici cottages a Digg sulla penisola di Trottenish, a nord-est di Skye

Un profilo drammatico delle montagne Cuillins. Nel riquadro: *L'Heritage Centre a Skye in bella posizione nella foresta di Portree*

Il castello Dunvegan, la sede del Clan MacLeod e centro mondiale per la riunione degli appartenenti al clan omonimo

Un tornante vicino a Quiraing, nella zona dell'aquila reale

Nel Museo di Skye 'Island Life' situato a Kilmuir sono esibiti i primi arnesi e utensili usati nei tempi passati

Uig Bay. Qui si trova un traghetto che salpa alle isole occidentali nelle Outer Hebrides

Il rosa dei fiori selvatici spunta tra le
roccie sulle costa delle isole occidentali

La baia sabbiosa a Seilebost,
South Harris

Una piccola foca grigia del tipo Atlantico.
Il gruppo delle isole occidentali infatti è
un paradiso per la fauna

*Cervi maschi adulti
si affrontano per la
supremazia durante
la stagione degli amori
in ottobre*

Le Highlands occidentali

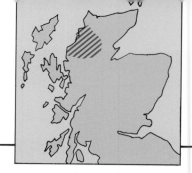

La costa frastagliata, la massiccia catena montuosa, i profondi laghi di acqua salata e le numerose isolette delle Highlands occidentali, situate tra le regioni Western Ross e Sutherland, offrono vedute mozzafiato. Qui il clima è più mite che sulla costa orientale, nonostante le piogge siano più abbondanti.

La strada costiera da Gairloch a Ullapool, con le sue montagne e i suoi laghi aperti verso il mare, è veramente magnifica. I tratti di spiagge sabbiose e le baie nascoste sono un irresistibile richiamo per i campeggiatori durante i mesi estivi. I giardini a Inverewe, in posizione protetta nella baia del Loch Ewe vicino a Poolewe, sono infatti subtropicali. Sono tutelati dal National Trust for Scotland e sono un paradiso inaspettato nella solitudine. Nel 1862 un certo Osgood Mackenzie, dimostrò con lungimiranza che era possibile coltivare un giardino tropicale su roccia arenaria con terreno di torba acida, purchè quest'ultimo fosse arricchito con argilla azzurra proveniente dalla costa e da altri terreni. Infatti il miracolo cominciò a prodursi dopo il drenaggio della torba. Questa area, dove alberi, arbusti e fiori crescono in grande abbondanza, occupa ora circa 810 ettari di terreno. Il progetto impiegò sessant'anni di lavoro ed oggi viene curato dal Trust. I giardini attraggono migliaia di visitatori.

Anche la cittadina di Ullapool accoglie ogni anno numerosi visitatori stranieri che sbarcano dalle imbarcazioni e dai panfili che si rifugiano nella sua baia famosa per la pesca. Il servizio traghetto della Caledonian MacBrayne parte da qui per Stornoway e con un biglietto speciale Hopscotch si può viaggiare fino a Oban attraverso le Western Isles.

Vicino a Ullapool, alla Interpolly National Nature Reserve parte una stretta strada costiera che si arrampica fino a Inverkirkaig (dove si trova un sorprendente negozio di libri). Questa strada costiera, da cui si possono ammirare fantastiche vedute, richiede particolare attenzione nella guida, essendo molto stretta e a corsia unica. A Lochinver si trova la strada principale A837 che attraversa le montagne mentre la strada costiera continua verso Kylesku Bridge. Qui vicino si trova la cascata più alta della Gran Bretagna chiamata Eas-Coul-Aulin con un'altezza di 197 m, ben tre volte più alta delle cascate del Niagara. Il terreno, più selvaggio e aspro che in altre parti delle Highlands scozzesi, conferisce a questo paesaggio un senso di remota grandezza unica ma è appunto in questa aspra solitudine che risiede la sua più grande forza e bellezza

Loch Broom da Ardcharnich

La baia a Gairloch e la sua spiaggia sabbiosa

Le azalee fioriscono nel clima della corrente del Golfo nei giardini ad Inverewe